跟着古诗词去旅行

苍茫太行篇

苏莫女/编著
蒋文婕/绘

SPM 南方出版传媒
全国优秀出版社 全国百佳图书出版单位 广东教育出版社
·广州·

图书在版编目（CIP）数据

跟着古诗词去旅行.苍茫太行篇 / 苏莫女编著；蒋文婕绘. —广州：广东教育出版社，2020.1
ISBN 978-7-5548-2812-0

Ⅰ.①跟… Ⅱ.①苏…②蒋… Ⅲ.①古典诗歌—诗集—中国 Ⅳ.①I222

中国版本图书馆CIP数据核字（2019）第087964号

责任编辑：郝琳琳　柴　瑶
责任技编：涂晓东
装帧设计：邓君豪

GENZHE GUSHICI QU LÜXING　CANGMANG TAIHANG PIAN
跟着古诗词去旅行　苍茫太行篇
广东教育出版社出版发行
（广州市环市东路472号12-15楼）
邮政编码：510075
网址：http://www.gjs.cn
广东新华发行集团股份有限公司经销
广州市岭美文化科技有限公司印刷
(广州市荔湾区花地大道南海南工商贸易区A幢)
889毫米×1194毫米　24开本　4印张　80 000字
2020年1月第1版　2020年1月第1次印刷
ISBN 978-7-5548-2812-0
定价：30.00元
质量监督电话：020-87613102　邮箱：gjs-quality@nfcb.com.cn
购书咨询电话：020-87615809

目录

北京 河北 家国大义是给男子汉的第一课

山西 内蒙古

天苍苍，野茫茫，风吹草低见牛羊

北京 河北

家国大义是给男子汉的第一课

写在旅行前

刚生下儿子的时候，我就想，

等他开始记事，一定要带他去一次北京，爬一次长城，

让他感知祖国的强大，让他体验金戈铁马的雄壮与悲凉。

因为我始终觉得，

男儿的心中，从小就应树立家国大义的意识。

生为男儿，他应该是英雄，

不管父母如何爱他，

他的人生路，都是一条无人可陪伴的艰险之路。

我从不重男轻女，是坚定的女权主义者。

但是我深信自然规律，男女分工本就有差异。

女孩应该强大，但她的强大不是把男儿该承担的揽过来，

她的强大应该是找到属于自己的位置，

坚持自己的原则，承认自己是个女性，

坚定地认为自己所做的一切有价值，并丝毫不看轻自己。

这一趟一路向北，若带着男孩子奔跑驰骋，

可以在天下第一关感知卫国戍边的悲壮，

看国家的兴衰荣辱，看历史变迁；

可以在碣石山看着渤海，与一代枭雄曹操共呼吸，

身临其境感知天大地大，那随着浪花翻涌的希望是建功立业的雄心；

不如再一起走进皇城古都，看看北京城的车水马龙，感知和平的幸福与不易；

再去北京城外的幽州台转转，

与陈子昂一同感受怀才不遇与人生失意。

不妨再登一登长城吧，告诉孩子，

国家兴亡、匹夫有责，是古往今来最有范的爷们儿气质。

千万记得讲孟姜女哭长城的故事给男孩子听，

认知女性深厚和伟大的爱，学会尊重和呵护女性，

这种绅士的品格将伴随他度过平凡而温暖的一生。

当然，如果是带着女孩子来，

这里还有壮丽山河，有现代都市，有从古至今的文化沉淀，

目光流转在广阔天地中，而不只拘泥于身旁琐事。

文明的洪流走到今天，为人父母已经有所迷失，

希望旅行是我们和孩子的共同成长。

旅行路线图

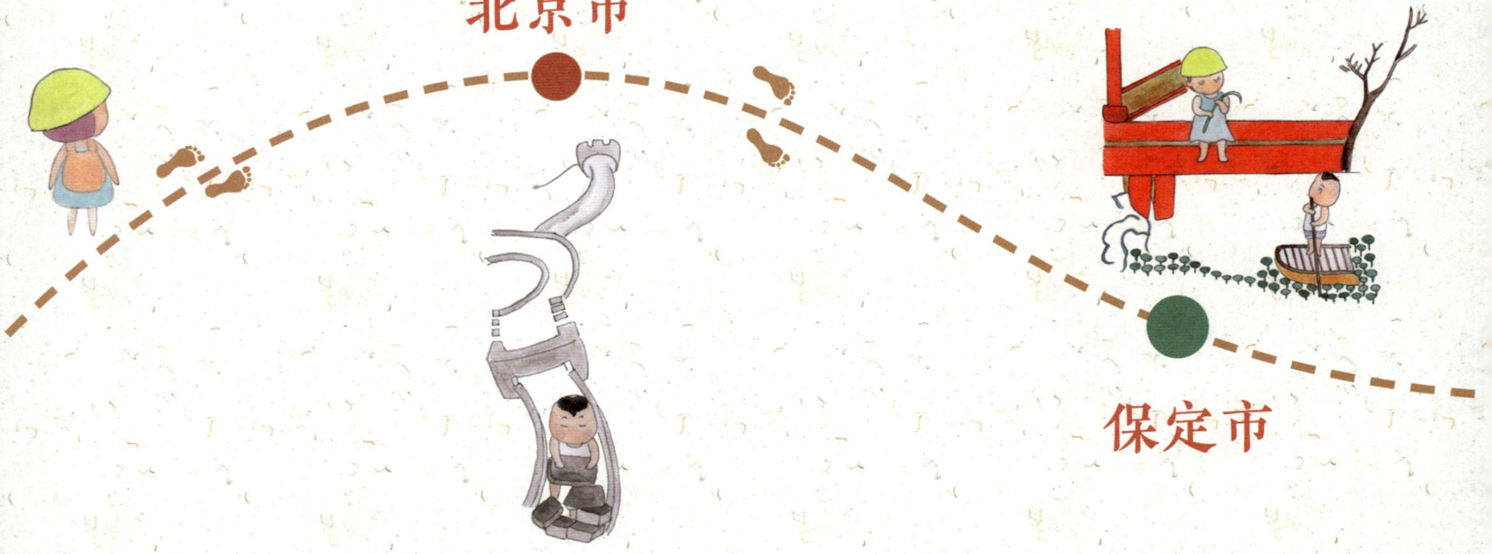

秦皇岛市

第一站：北京市

登幽州台歌

唐 · 陈子昂

前不见古人，
后不见来者。
念天地之悠悠，
独怆然而涕下。

古意二首（其一）

宋 · 陆游

千金募战士，
万里筑长城。
何时青冢月，
却照汉家营。

登幽州台歌

唐·陈子昂

前不见古人，

往前，看不到古代招贤纳士的圣君，

后不见来者。

往后，也看不见后世求才的明君。

念天地之悠悠，

只有苍茫的天地悠悠无限，

独怆然而涕下。

止不住的悲伤，热泪纷纷落下。

孤独的诗

谈起描述孤独的诗，陈子昂的《登幽州台歌》一定会被提起。《登幽州台歌》描写了诗人登幽州台远眺时的有感而发，他有着远大抱负，却难觅知音。其实，在古代有许多描写孤独的诗，有些是因为诗人们同陈子昂一样，怀才不遇，壮志难酬；有些是因为诗人身在异乡，倍感孤寂等。李白的《独坐敬亭山》和柳宗元的《江雪》，也是描述孤独的代表作。

独坐敬亭山

唐 · 李白

众鸟高飞尽，孤云独去闲。
相看两不厌，只有敬亭山。

江雪

唐 · 柳宗元

千山鸟飞绝，万径人踪灭。
孤舟蓑笠翁，独钓寒江雪。

北京大兴念坛公园

幽州台，又称为黄金台，故址位于北京大兴。由于时代久远，幽州台原址已不见踪迹。

在繁华热闹的北京，有一些隐藏着的小众风景，这些地方不会有拥挤的人潮，且满目清华、处处鲜亮，北京大兴念坛公园，便是这样的好去处。

念坛公园位于大兴区黄良路，由旧水库改建而成，内有沙滩，亦可划船。在大兴念坛公园内，有一处“幽州台歌”景点，建有陈子昂雕塑、凉亭、高台，为纪念诗人陈子昂。可在此登高怀古，感受一下历史的温度。

古意二首（其一）

宋·陆游

千金募战士，

重金招募战士征讨敌人，

万里筑长城。

修筑万里长城抵御敌人。

何时青冢月，

曾经照着昭君墓地的月光，

却照汉家营。

现在却照着汉军的军营。

卜算子·咏梅

宋·陆游

驿外断桥边，寂寞开无主。
已是黄昏独自愁，更著风和雨。
无意苦争春，一任群芳妒。
零落成泥碾作尘，只有香如故。

八达岭长城

有句话说：不到长城非好汉。万里长城，是我国古代的军事防御工程，用一道高大的、坚固的、连绵不断的长垣抵御敌人的行动和攻击。长城主要分布在我国河北、北京、天津、山西等15个省、自治区、直辖市。

位于北京市的八达岭长城，现多为游客们喜爱的旅行景点。八达岭长城地势险要，构筑雄伟，风景可以用“震撼”二字来形容。来到八达岭长城，爬长城、赏风景，就足矣。在这过程中，感受雄伟的景观，感受祖国的辽阔，感受古人的智慧，感受博大的胸襟。

八达岭长城景区内，还坐落着中国长城博物馆，博物馆全面地展现了长城的历史、军事、建筑、经济、文化艺术及现状，还有长城沿线出土的文物、标本等。

互动任务单

把你、爸爸妈妈和长城的合影，粘贴在下面。

第二站：保定市

荆轲歌

先秦 · 荆轲

风萧萧兮易水寒。
壮士一去兮不复还。

于易水送人

唐 · 骆宾王

此地别燕丹，
壮士发冲冠。
昔时人已没，
今日水犹寒。

荆轲歌

先秦·荆轲

风萧萧兮易水寒。

风萧萧地吹着，易水河畔非常寒冷。

壮士一去兮不复还。

壮士荆轲，去了就再也不会回来。

荆轲刺秦王

战国时期，七个最强大的诸侯国——齐楚燕韩赵魏秦，统称为“战国七雄”。在战国后期，秦国的实力最强，秦王嬴政继位后，便开始周密部署战斗，准备统一六国。

值燕国生死存亡之际，燕太子丹决定派遣刺客去威胁秦王，令秦王退还已侵略的土地并保证不再继续侵略，若秦王拒绝，则直接刺死。就这样，燕太子丹结识了有学问的、沉稳的侠士荆轲。受燕国太子丹的派遣，荆轲携带夹有匕首的地图和秦国败将的首级，以燕国使者的身份前往秦国。“风萧萧兮易水寒，壮士一去兮不复还”就是在易水边送别时荆轲所作，表达了他义无反顾的决心。

最终，荆轲没能刺杀成功，自己也丢了性命，但他的侠义精神为人们所称赞。

白洋淀

白洋淀是河北第一大内陆湖，位于河北省安新县境内，集自然风貌和人文景观于一体，小岛、荷塘、芦苇荡，鱼、虾、蟹、贝，一样不少。在这里，可以钓鱼、赛龙舟，可以乘小木船在水上撒网捕鱼，可以在芦苇荡中穿梭，还可以观看鱼鹰捕鱼表演，充分感受融入大自然的乐趣。

白洋淀荷花大观园是白洋淀的标志性景点，这里种植荷花的面积大、种类多。园内还有象征着平安、和谐、如意的盛世三面观音。白洋淀周边还有一些历史文物古迹，如康熙水围行宫、雄县宋辽边关地道、晾马台明月禅寺、黑龙口燕长城等。

白洋淀有着深厚的文化底蕴和灿烂的革命文化：康熙、乾隆两位皇帝都曾在此游览，并修建行宫；《小兵张嘎》《白洋淀纪事》《新儿女英雄传》谱写了发生在白洋淀的一首首英雄赞歌。

于易水送人

唐·骆宾王

此地别燕丹，

在这里作别燕太子丹，

壮士发冲冠。

壮士荆轲怒发冲冠。

昔时人已没，

昔日的英雄已经与世长辞，

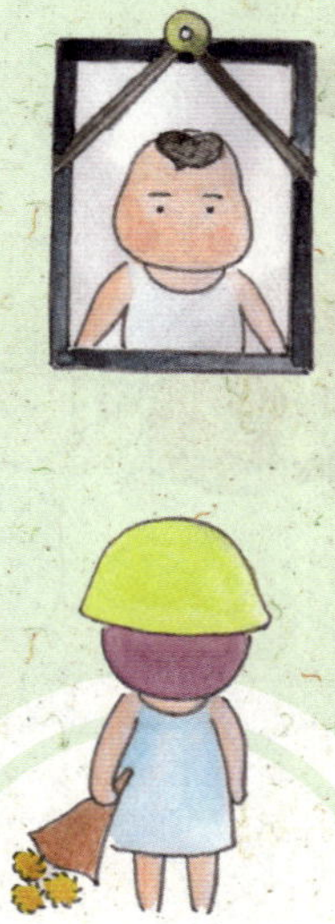

今日水犹寒。

今天的易水还是那般寒冷。

"初唐四杰"之骆宾王

鹅，鹅，鹅，曲项向天歌。
白毛浮绿水，红掌拨清波。

这首《咏鹅》可以说是人人耳熟能详，但你知道吗？这首诗写于骆宾王7岁时，当时他看到池塘里的大白鹅，便脱口成诗，并流传至今。

骆宾王出身寒门，年少时父亲病故，家境变得更差。骆宾王自小就小有名气，但他不愿包装炒作，所以在仕途上也并不顺利。让他写一封自荐书以推荐自己去当官，他却写道：宣扬自己的优点和长处，不是我的行事风格，而且严重违背我的做人原则，这我坚决不能做；做官时秉公执法，不论人情，一些皇亲国戚暗中说情，皆被他严词拒绝，因此，得罪了人，被诬陷下狱。

骆宾王就是这样，天生一副侠骨，心怀治国安邦的抱负，不改清正耿直的秉性。

易水河

荆轲刺杀秦王，在易水河畔作别友人，留下“风萧萧兮易水寒，壮士一去兮不复还”的激昂诗句，这里的易水河，位于河北省保定市易县西部山区，是一条流淌千年、生生不息、见证了许多历史时刻的河流。

在北方，河流并不多见，孤独流淌着的易水河，总是向我们传递着一种壮烈。来易水河边走一走，感受一下不畏艰险、砥砺前行的坚持与决心。

现在的易水河也暗藏凶险，河边总会竖着“禁止游泳”的标识。去到易水河，欣赏易水河畔的风光，感受易水河的历史，但是，千万不要违规下水，谨防发生意外。

互动任务单

给爸爸妈妈讲述荆轲的故事，再画出当时荆轲在易水河边告别友人的场景。

第三站：秦皇岛市

观沧海

魏晋 · 曹操

东临碣石，以观沧海。
水何澹澹，山岛竦峙。
树木丛生，百草丰茂。
秋风萧瑟，洪波涌起。
日月之行，若出其中；
星汉灿烂，若出其里。
幸甚至哉，歌以咏志。

观沧海

魏晋·曹操

东临碣石，以观沧海。

往东登上碣石山，来观赏苍茫的大海。

水何澹(dàn)澹，
山岛竦(sǒng)峙(zhì)。

水波荡漾着，
山岛高高地挺立在海边。

树木丛生，
百草丰茂。

树木和百草丛生，都长得十分茂盛。

秋风萧瑟，洪波涌起。

秋风吹动着树叶，发出悲凉的声音，海中涌起巨大的海浪。

日月之行，若出其中；

太阳和月亮的运行，好像是在这浩瀚的海洋中发生的；

星汉灿烂，若出其里。

银河的灿烂，好像也是产生自这浩瀚的海洋中。

幸甚至哉，
歌以咏志。

我非常开心，
就用这首诗来表达自己的志向吧。

中国四大海域

渤海：古称沧海，是中国最北端的海域。渤海是中国的内海，三面环陆，在辽宁、河北、山东、天津之间，通过渤海海峡与黄海相通。

黄海：因水域的水色呈黄色而得名，是太平洋西部最大的边缘海。我国濒临黄海的主要是辽宁、山东和江苏。黄海的生物种类繁多，数量也很大。

东海：由中国大陆、中国台湾、朝鲜半岛、日本九州岛和琉球群岛等围绕的边缘海，位于黄海的南面。东海是中国最重要的渔场，蕴藏着丰富的石油资源。

南海：位于中国南部，是我国最深、最大的海，也是仅次于珊瑚海和阿拉伯海的世界第三大陆缘海。南海的面积非常大，约为渤海、黄海和东海面积总和的3倍。

碣石山风景区

碣石山风景区位于河北省秦皇岛市昌黎县。景区内主要景点有：仙台顶、天桥柱、五峰山、龙潭洞、水岩寺、碣阳湖等。“碣石山十景”，分别是碣石观海、天柱凌云、水岩春晓、石洞秋风、西嶂排青、东峰耸翠、龙蟠灵壑、凤翥祥峦、霞晖卒堵、仙影沧浪。

碣石山的主峰是仙台顶，是渤海近岸的最高峰、观海圣地，十景之最壮观的“碣石观海”便在此处。登上仙台顶俯瞰大海，一望无际。仙台顶的东西两侧，各有五座山峰，即东五峰山和西五峰山。此外，韩文公祠也建在碣石山风景区，以纪念唐宋八大家之一的韩愈。

互动任务单

和爸爸妈妈登山观海，看一看，海里除了浪花潮涌还有什么？

山西 内蒙古

天苍苍，野茫茫，风吹草低见牛羊

写在旅行前

把山西和内蒙古放在一条旅行线路上，除了因地域上接壤，
更主要的是因为它们都是黄河流经之地，气质有些相仿。

虽然都接近塞外，都很壮美，
但还是与甘肃新疆这一条线不一样，
甘肃新疆更多的是广阔，像是原野的穿堂风，
而山西内蒙古更多的是厚重，就像是黄河怒吼的水浪：
有几分沉，有几分重，有几分不甘，也有几分豪迈，
这种情绪复杂得就像赛马，
虽然万马奔腾、气势汹汹，但是黄沙一片。

初入这一线，最先被读到的是千古名篇《登鹳雀楼》，
它像一首浑厚歌曲的开端，语境清奇，
但感觉已经掩饰不住那奔涌而出的重量了。

再到雁门关，读李贺的《雁门太守行》，

我觉得这是最能体现山西内蒙古气质的一首诗，沉、重、瑰丽……

往前走，再读读王昌龄的《出塞》，

此时又回到了常年战争的历史中，

看看秦汉时期的长城，或许这也是悲壮气质的来源吧。

走到呼和浩特的昭君墓，

读一读杜甫的《咏怀古迹五首》，心情有些许低沉，

你分明听到胡语琵琶里的悲愤。

这时应让民歌《敕勒歌》中和一下，

感受一下当地游牧民族自己眼里的大草原与大荒漠。

黄河一直奔流不复返，雁门关千古屹立，

阴山就躺在那里，草原也在那里，

所以，北方的清奇、沉重、瑰丽以及豪迈，

此处都有——诗里有，路上也有。

旅行路线图

朔州市
呼和浩特市

第一站：运城市

登鹳雀楼

唐 · 王之涣

白日依山尽，
黄河入海流。
欲穷千里目，
更上一层楼。

野　望

隋末唐初 · 王绩

东皋薄暮望，徙倚欲何依。
树树皆秋色，山山唯落晖。
牧人驱犊返，猎马带禽归。
相顾无相识，长歌怀采薇。

登鹳雀楼

唐·王之涣

白日依山尽，

太阳依傍这山峦渐渐落下，

黄河入海流。

黄河向着大海奔流。

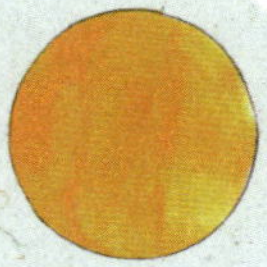

欲穷千里目，

想要看遍千里风景，

更上一层楼。

那就再登上一层楼吧。

边塞诗人

边塞诗人是指常以边疆地区生活和自然风光为作品题材的诗人。王之涣、高适、岑参、王昌龄是边塞诗人的杰出代表，并称为“四大边塞诗人”。

他们的边塞诗代表作如下：

高　适：《燕歌行》《塞上》《塞下曲》

王之涣：《凉州词》

岑　参：《轮台歌奉送封大夫出师西征》

《白雪歌送武判官归京》

王昌龄：《从军行七首》《出塞》《闺怨》

鹳雀楼

鹳雀楼位于山西省运城市境内的黄河岸边，因王之涣的《登鹳雀楼》而名扬天下。它是现存最大的仿唐建筑，内有六层，充分展现了盛唐氛围和华夏文明。

鹳雀楼景区以独特的人文底蕴和厚重的黄河文化为根基，主要分为名楼浏览区、黄河风情浏览区、山水浏览区和康乐浏览区四部分。

登上鹳雀楼的观景平台，置身于千古名诗的场景之中，感受“欲穷千里目，更上一层楼”的胸襟，别有一番韵味。

野望

隋末唐初·王绩

东皋（gāo）薄（bó）暮望，徙（xǐ）倚欲何依。

傍晚时分，我站在东皋远望，徘徊不定，不知道自己该归依何方。

树树皆秋色，
山山唯落晖。

层层树林都染上了秋天的颜色，
重重山岭披盖着落日的余晖。

牧人驱犊返，猎马带禽归。

牧人驱赶着牛群返回家中，猎人也带着自己的猎物回归家园。

相顾无相识，
长歌怀采薇。

大家相顾无言、互不相识，
我长啸高歌，真想隐居在这山林中。

“五斗先生”王绩

《五斗先生传》是王绩的一篇散文，在这篇散文中，他写到因自己经常一喝酒就喝五斗，便用“五斗先生”作为自己的别号。王绩是个爱酒如命的诗人，他的一生都与美酒密不可分。

王绩自小被称为“神仙童子”，在哥哥的举荐下，朝廷授予他一个官职，但是他厌倦官场，便请求去一个县做个小官，这样他就可以任意喝酒、游玩。

他在做官期间，沉迷喝酒，不理政事，没过多久便辞官回乡了。在他看来，当时的社会动荡不安，仅凭他一人之力难以翻云覆雨，还不如沉醉在酒中，隐居于世间。

后来他认识了同样喜好喝酒的朋友，学习了酿酒技术，为了将酿酒技术传承下去，他还著有《酒经》等著作。

不可错过的运城美食

来到运城，除了感受这里深厚的文化底蕴外，美食也不容错过。

永济牛肉饺子：北方人喜爱吃饺子，每次逢年过节，饺子都必不可少。永济牛肉水饺皮薄而不烂，牛肉馅用熬制的牛骨汤拌成，吃起来鲜香嫩滑。

闻喜煮饼：用面粉、芝麻、香油、糖等原料制成，是一种传统糕点，口感酥沙香甜。

稷山麻花：色泽金黄，口感酥脆，油而不腻。

羊杂烂：用羊骨架熬成羊汤，再加上羊肉、羊肝、羊血等，根据自己的喜好加上葱、香菜、辣椒，配麻花、锅盔、烤饼，鲜而不膻，清香爽口。

互动任务单

长江和黄河分别是我国第一和第二长河，在地图上找一找这两条长河吧。

第二站：朔州市

雁门太守行（节选）

唐 · 李贺

半卷红旗临易水，
霜重鼓寒声不起。
报君黄金台上意，
提携玉龙为君死。

雁门太守行（节选）

唐·李贺

半卷红旗临易水，

红旗半卷着，援军已经赶赴易水，

霜重鼓寒声不起。

叶寒霜重，鼓声都低沉郁闷。

报君黄金台上意，

只为报答君王的恩遇，

提携玉龙为君死。

手携宝剑，视死如归。

认识李贺

姓名：李贺

字：长吉

别称：诗鬼

代表作品：

《李凭箜篌引》《神弦曲》《金铜仙人辞汉歌》等

作品风格：

1. 大多感叹生不逢时，抒发自己的理想追求。

2. 大多反映当时的社会黑暗、人民被残酷剥削等社会现实。

3. 作品的想象力丰富，常用一些神话、传说等反映现实。

应县木塔

应县木塔，又称佛宫寺释迦塔，是我国现存的最高最古老的且唯一一座木构塔式建筑，与意大利的比萨斜塔、巴黎埃菲尔铁塔并称为“世界三大奇塔”。

应县木塔采用全木结构搭建，没有用一颗铁钉，可以负重1000多人同时登上木塔。历经千年，应县木塔仍然完好地存在着，具有非常强的抗震避雷研究价值。

互动任务单

全木结构的应县木塔是不是很神奇呢？你还记得它的样子吗？画一画吧。

第三站：呼和浩特市

出塞二首（其一）

唐 · 王昌龄

秦时明月汉时关，
万里长征人未还。
但使龙城飞将在，
不教胡马度阴山。

咏怀古迹五首（其三）

唐 · 杜甫

群山万壑赴荆门，
生长明妃尚有村。
一去紫台连朔漠，
独留青冢向黄昏。
画图省识春风面，
环佩空归夜月魂。
千载琵琶作胡语，
分明怨恨曲中论。

敕 勒 歌

隋 · 无名氏

敕勒川，阴山下。
天似穹庐，笼盖四野。
天苍苍，野茫茫，
风吹草低见牛羊。

出塞二首（其一）

唐·王昌龄

秦时明月汉时关，

秦汉以来，明月就这样照耀着边塞，

万里长征人未还。

离家万里的士兵们，还没能回来。

但使龙城飞将在，

只要飞将军李广还守卫在边塞，

不教胡马度阴山。

就不会让胡人踏过阴山半步。

“飞将军”李广

“但使龙城飞将在”一句，描写的是西汉时期的名将李广。

李广是一位英勇善战的将军，与匈奴打过很多次仗，战功卓著，深受人们爱戴，但李广并没有因为自己身居高位而居功自傲。他待人谦逊有礼，与士兵们同甘共苦。有好处时首先想到自己的部下，有困难时与大家共患难。所以在战场上，只要他一声令下，士兵们都奋勇向前，不怕牺牲。

后来有人称赞李广“桃李不言，下自成蹊”，意思是桃李的花朵芬芳、果实甜美，虽然它们不会说话，但仍然吸引了许多人到树下赏花、尝果，人越来越多，甚至走出了一条小路。李广将军就是这样，虽然他不声张自己的功绩，但他以自己的真诚和高尚的品格赢得了人们的敬仰。

大召寺

大召寺是一座大藏传佛教寺院，辉煌的建筑，珍贵的文物和艺术品，神秘的佛教音乐，在大召寺都可以找到。

大召寺的经堂和佛殿，统称为“大殿”，大殿是整个寺庙中唯一一座汉、藏结合风格的喇嘛庙，其余部分均是传统的中式庙宇建筑。

大召寺内的文物藏品非常丰富，银佛、龙雕和壁画是大召寺的“三绝”，是明代的历史遗物，具有极高的工艺水平和观赏价值。

大召寺每年还会举办两次盛大的佛事活动——晾大佛，一方面防止大佛被虫蛀，另一方面也可让人们瞻仰佛容，沐浴佛恩，从而弘扬佛教文化。

咏怀古迹五首（其三）

唐·杜甫

群山万壑（hè）赴荆（jīng）门，
生长明妃尚有村。

穿过千山万壑一直奔向荆门，
这是美丽的昭君生长的村庄。

一去紫台连朔漠，
独留青冢(zhǒng)向黄昏。

她离开汉宫去往遥远的荒漠，
只留下青冢向着凄凉的黄昏。

画图省识春风面，
环佩空归夜月魂。

糊涂的君王根据画像来辨别美丑，
昭君的灵魂在月夜中归来。

千载琵琶作胡语，
分明怨恨曲中论。

千百年来琵琶声回荡在空中，
那是昭君的怨恨和诉说。

《咏怀古迹五首》

《咏怀古迹五首》是杜甫吟咏庾（yú）信古居、宋玉宅、昭君村、永安宫、武侯祠等古迹，感怀庾信、宋玉、王昭君、刘备、诸葛亮等人的一组诗。他在诗中表达了对这些历史人物凄凉身世的同情，也抒发了自己仕途的失意和颠沛流离的无奈之情。

《咏怀古迹五首》（其五）

唐·杜甫

诸葛大名垂宇宙，宗臣遗像肃清高。
三分割据纡筹策，万古云霄一羽毛。
伯仲之间见伊吕，指挥若定失萧曹。
运移汉祚终难复，志决身歼军务劳。

昭君博物院

昭君博物院地处呼和浩特市南郊，以昭君墓为核心，还有匈奴文化博物馆、单于大帐等部分。

昭君墓因常年覆盖着青草，又被称为“青冢”，距今已有2000多年历史，是国内较大的汉墓之一。昭君墓“青冢拥黛”，是呼和浩特的重要景点。

匈奴文化博物馆，是我国第一座展示匈奴历史文化的博物馆，馆内有昭君出塞展览和匈奴的历史文化陈列、艺术品展示。

单于大帐中有再现昭君出塞和汉匈友好相处的实景舞蹈剧，直观生动地展示匈奴文化历史的深厚底蕴和王昭君壮烈的一生。

昭君博物院从建设到陈列展示，都充分体现着昭君出塞、汉匈和亲、民族团结等主题，是了解王昭君这一伟大女性的最佳之地。

敕勒歌

隋·无名氏

敕勒川，
阴山下。

辽阔的敕勒川大平原，就在阴山脚下。

天似穹庐，
笼盖四野。

天空好像一个巨大的帐篷，
笼罩着整个原野。

天苍苍，野茫茫，

蔚蓝的天空一望无际，碧绿的原野茫茫不尽。

风吹草低见（xiàn）牛羊。

一阵风吹过，吹动牧草，露出了一群群正在吃草的牛羊。

与“牛”“羊”相关的成语

汗牛充栋

汗牛，是指用牛运输东西，牛都累得出汗了；充栋，是指屋子堆满了。汗牛充栋，是说书籍非常多。

对牛弹琴

常用来比喻对不懂道理的人讲道理，白费口舌。也会用来讥笑说话不看对象。

九牛一毛

常用来比喻极大数量中微不足道的一小部分。

庖丁解牛

用来比喻经过反复的实践，掌握了事物的客观规律，做起事情来得心应手。

亡羊补牢

羊丢失了，才想起来修补羊圈。比喻在受到损失后想办法补救，免得以后再受到类似的损失。

挂羊头，卖狗肉

比喻用好的名义做幌子，实际上在做坏事。

羊毛出在羊身上

表面上别人给了你好处，其实这好处附加在自己付出的代价里。

蒙古风情园

蒙古风情园位于呼和浩特市南郊、昭君墓西北侧，以蒙古族传统历史文化、宫迁文化和民俗文化为核心，以草原景观为特色。在蒙古风情园内，你可以参观蒙古族的建筑，领略草原风情，欣赏歌舞表演，了解蒙古族的饮食、服饰等文化，感受宗教礼仪。

蒙古风情园内有草原奇石馆，在这里可以看到各种各样奇怪的、有趣的石头，还可以从中学习文化、艺术、美学、地质等方面的知识。马文化博物馆中陈列着丰富的展图、文物，生动地体现了马背上的民族数千年的文化底蕴。成吉思汗纪念堂用来纪念“一代天骄”成吉思汗，每年旅游旺季时，会举办大型的成吉思汗祭典仪式，游客们可以亲身感受传统的祭祀文化。

互动任务单

和爸爸妈妈一起骑马。

古诗词小旅行

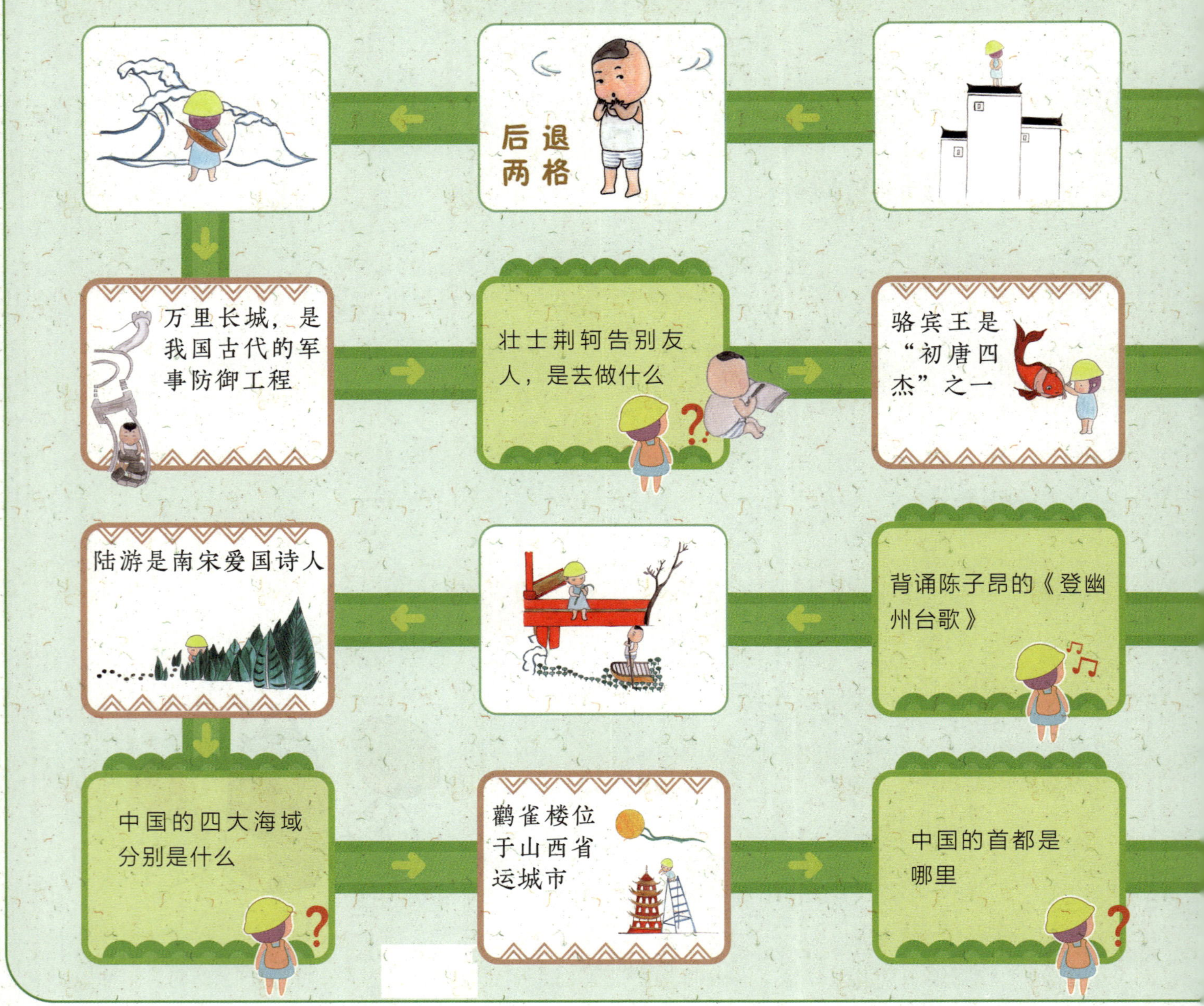
后退两格
万里长城，是我国古代的军事防御工程
壮士荆轲告别友人，是去做什么
骆宾王是“初唐四杰”之一
陆游是南宋爱国诗人
背诵陈子昂的《登幽州台歌》
中国的四大海域分别是什么
鹳雀楼位于山西省运城市
中国的首都是哪里

游戏规则：①掷骰子，根据点数从起点前进相应步数。②根据格子上的提示前进或后退。

③格子上有问题时，回答正确方可停留，回答错误需后退一格。

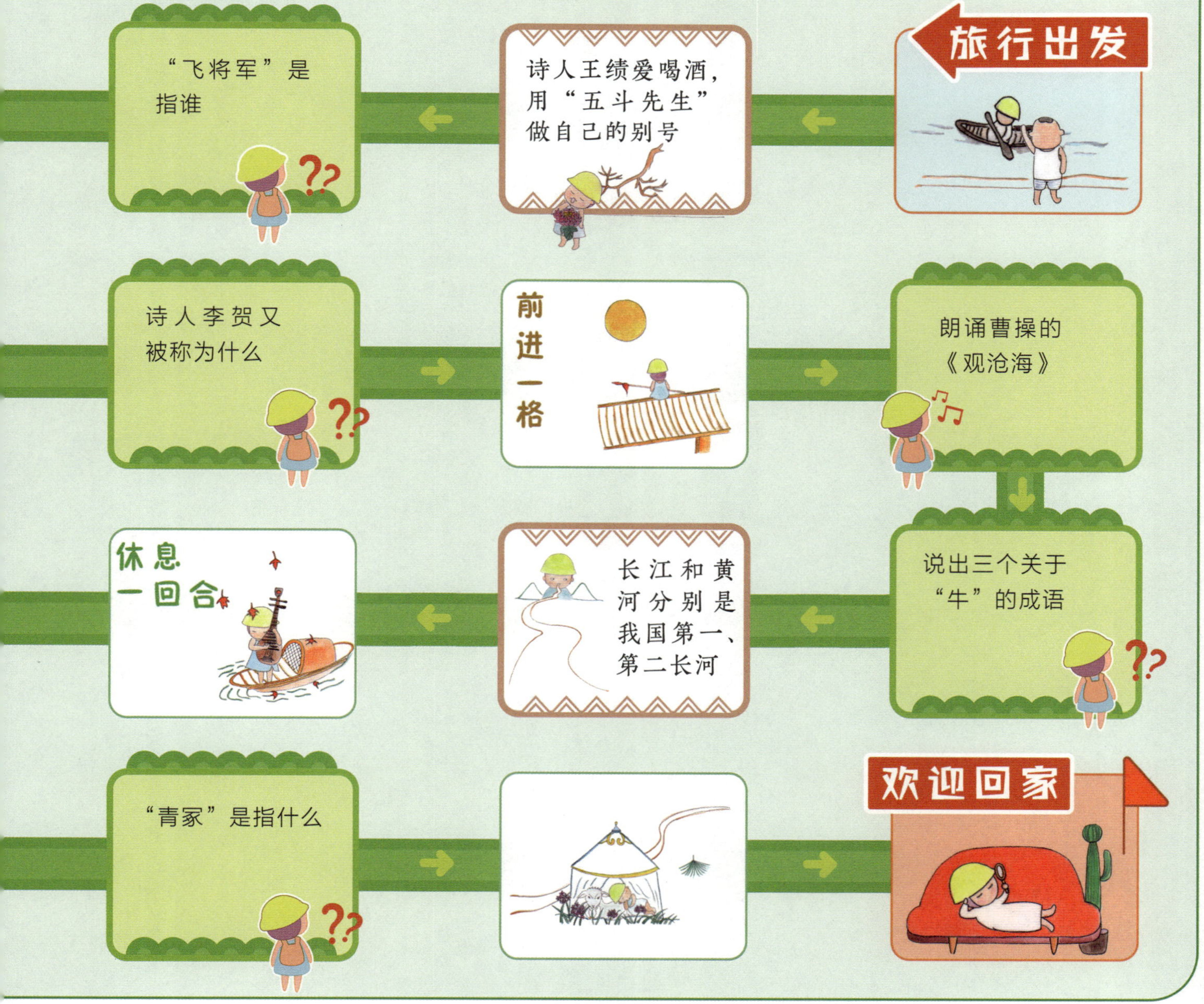